Merlaucène, juin 1989

Pour Joy Button !

signature

MONT VENTOUX

ISBN 2-85 744-417-6

MONT VENTOUX

PHOTOGRAPHIES DE STEFFEN LIPP

INTRODUCTION DE JEAN-PAUL CLEBERT

EDISUD

La Calade, Aix-en-Provence

A mes parents qui m'ont donné l'amour de la Provence.

"La Provence à l'aube", huile de Steffen Lipp

C'est tout enfant que, vers la fin des années cinquante, je suis venu pour la première fois, avec mes parents, sur ce coin de terre provençale qu'aucune charrue n'avait jamais profanée. Pour le citadin que j'étais, premier émerveillement. J'y passais alors de longues semaines - et je n'ai cessé, depuis, de m'imprégner de ces paysages du Ventoux : images symboles des forces primitives qui génèrent la forme, messages terriens ensevelis sous les hiéroglyphes du vieux sol, calligraphies telluriques de la pierre codée : c'est indéniablement la lecture de ce prodigieux livre de la nature qui est à la source de mon œuvre plastique. Entre rêve et réalité s'est imposé ici un fascinant "règne intermédiaire" de lumière et de matières, de matériau originel et de force décomposante : ces faisceaux croisés sont la grammaire de mes toiles.

Depuis dix ans, je vis et je travaille en Provence.

L'hiver dernier, gravissant dans le petit matin les pentes enneigées et glacées du Ventoux pour "nourrir" ma peinture, j'eus un jour l'idée de fixer - capturer ? - par la photographie les sources de mon inspiration. Fasciné par cette nouvelle expérience, j'abandonnai mon atelier toute l'année pour me consacrer à cette préoccupation exclusive : mettre en images le Mont Ventoux dans la lumière des saisons.

Terra nova : en tant que peintre, la production de ce livre m'est une joie enivrante.

Steffen Lipp
Malaucène, janvier 1989

Traces de pas dans la neige

LE VENTOUX
une montagne magique

La Provence, triangle sacré du Midi de la France, a naturellement sa montagne magique qui non seulement ordonne sa configuration physique mais commande sa mythologie géopoétique.

Le Ventoux, un mont particulièrement solitaire, lui-même triangle parfait que les gens des plaines regardent avec la même ferveur que les paysans japonais contemplent leur Fuji-Yama. Pyramide dont la pointe se revêt l'hiver de neige immaculée, et dénude l'été son revêtement de caillasses tout aussi blanches, symbole de pureté et de virginité. C'est le fameux Mont Chauve où s'agitent furieusement, sinon les sorcières, du moins les vents les plus violents.

Vu de plus près, le Ventoux a en fait deux visages, comme Janus, le dieu des frontières et des confrontations. L'un regarde vers le nord, abrupt et ridé, convulsé, de méchante humeur souvent et l'air sombre toujours, barbu d'un poil épais et vert bouteille. L'autre, qui contemple le midi, sourit plus facilement. C'est le plus vieux, puisqu'au contraire des humains les montagnes effacent leurs rides en vieillissant : long ondoiement de combes creusant des courbes féminines. Le système pileux n'apparaît que beaucoup plus bas, avec les turgescences des futaies de pins à crochets qui succèdent aux favoris follets des broussailles obstinées. Mais avant de se mettre à nu, le Ventoux fut pendant des millénaires recouvert de la très épaisse toison d'une forêt primitive dont le déboisement systématique ne commencera qu'au Moyen Age. De l'antiquité classique, il fut semble-t-il ignoré. Les auteurs latins, Strabon, Pline, et même Trogue-Pompée qui pourtant naquit à ses pieds n'en soufflent mot. Royaume de la solitude angoissante, des ouragans orageux, des tempêtes mistraliennes et de la neige fouettée, il demeura longtemps désert. La légende veut seulement que les premiers Ligures y aient installé un de leurs postes de télégraphie optique.

Qu'au cœur de la Provence ensoleillée, un lieu comme celui-là rassemble le froid, la glace et la neige aurait suffi à le faire classer parmi les sites sacrés choisis par les dieux pour manifester leur puissance irrationnelle. Et que cette montagne ait pris la forme exacte d'un triangle parfait a suggéré qu'il était un de ces "nombrils du monde", un *axis mundi* par où communiquent les forces telluriques et célestes. Mais le Ventoux possède en plus une arme redoutable : le mistral dont il se sert comme d'une fronde pour assommer les riverains et leur secouer les idées. Car ce vent maître ne se contente pas de décoiffer les toitures, de renverser les charrettes, de trousser les filles et de rendre furieux les énergumènes mais il fait aussi office de "mange-fange", nettoie le ciel, évacue les miasmes délétères, chasse les

Avant l'orage

fièvres et vide les rues de leurs immondices. C'était assez pour qu'il fût considéré comme un dieu à part entière et que l'on baptisât son séjour Mons Ventosus, le mont venteux, ou Ventoux. Les anciens vénéraient le vent au même titre qu'une source ou un bois de chênes. Là-haut, on a retrouvé des milliers de trompettes en argile, brisées rituellement, et dans lesquelles des générations de bergers avaient dû souffler pour exorciser cette "chasse infernale", et que l'on retrouve, accrochées à la ceinture des santons sous le nom de *toutouro*.

De cet ancestral culte du vent, particulier au Ventoux, la toponymie locale conserve des témoins. Sur le chemin des crêtes, au pied du *Col des Tempêtes*, se succèdent des grottes où l'on crut longtemps que naissait le vent. Ainsi de la *Grotte du vent*, profonde de 170 mètres, et qui, par un phénomène

naturel, fait office de "trou souffleur" : les premiers voyageurs ne manquèrent pas de signaler cette exhalaison souterraine qui éteignait leurs bougies et se manifestait quelquefois avec tant de violence qu'elle renversait les imprudents qui tentaient de s'aventurer à l'intérieur.

Le Ventoux recèle bien d'autres merveilles, comme cette *Grotte de l'Or,* sur le dangereux sentier qui descend vers Brantes, et qui doit son nom à ses pyrites brillantes, l'or des fous qu'allaient chercher des apprentis alchimistes ou des escamoteurs de colportage. Des marches taillées dans le roc mènent à des galeries longues de 50 mètres qu'a décrites au XVIIᵉ siècle le savant Peiresc en des termes qui déroutaient les plus curieux de ses lecteurs.

Et tout en bas encore, au bord du Toulourenc, au delà du hameau de Veaux,

La source du Groseau près de Malaucène

la *Grotte des Anges,* tout aussi impressionnante, qui se termine par un gouffre sans fond que l'eau a noyé à jamais.

Des hommes, plus courageux que d'autres, occupèrent ces sites inhumains. Des ermites, des anachorètes peuplèrent les abris naturels où ils trouvaient silence et solitude. Certains, animés d'intentions moins pures, se cachèrent dans ces recoins inaccessibles et oubliés. Assassins en fuite, ou plus simplement faux-monnayeurs, faux-sauniers, fabricants d'allumettes clandestines se réfugiaient dans les anfractuosités de la *Combe Obscure,* où personne ne risquait de les déloger.

Mais tout de même, ce désert apparent était habité par une population sauvage et nomade de charbonniers, de bouscatiers, de chasseurs de sangliers, de ramasseurs de champignons et de truffes. Les combes montant de Bédoin et de Sainte-Colombe, bien avant la percée de la route en 1882, connaissaient un charroi incessant de convois muletiers qui descendaient les produits de la montagne, les herbes médicinales et aromatiques, les innombrables plantes à usage domestique, les balles de buis pour faire du fumier, les sacs de glands pour nourrir les porcs. Et bien sûr les troupeaux, que menaient des bergers vêtus de "grandes capes de cadis roux qui tombaient sur les talons comme des chapes" (Alphonse Daudet). Alors la montagne nourrissait la plaine et aujourd'hui encore le gibier et la sauvagine concurrencent la charcuterie du pays de Sault. L'automne ici est une saison privilégiée pour la

Malaucène

Relief du versant nord-est

gastronomie. La cuisine provençale, sans beurre et sans reproche, s'ennoblit de brochettes d'oiseaux et de plats de lactaires délicieux qui récompensent des excursions les plus difficiles.

La percée des routes et la fréquentation des touristes n'a pas encore trop modifié le caractère sauvage de ces combes qui rayonnent au nord de Bedoin et qui portent encore des noms sinistres, *Maragueire*, *Maraval*, *Mauvalla*, évocateurs de mauvais pas. C'est à pied qu'il faut explorer le Ventoux par ces vallons étroits et désolés, mais d'une beauté à couper le souffle, qui mènent à des bergeries ruinées, quelquefois énormes, où l'on dort sur des litières de feuilles sèches. Il faut de bons mollets et le goût de la solitude pour s'engager seul dans ces déserts de pierre, cette "couche de pierrailles émaillée de fleurs", comme disait Fabre, l'entomologiste qui vingt fois ici risqua de se rompre le col. Il faut aussi y craindre les vipères qui sont chez elles, n'aiment guère les intrus. Régulièrement, on annonce dans les journaux locaux l'apparition d'une bête mystérieuse qui désole les troupeaux, ravage les jas, terrorise les bûcherons. Il ne s'agit souvent que d'un chat sauvage plus gros que les autres et la Bête du Gévaudan n'a point fait là de petits. Mais au cours des veillées, au coin du feu dans une bergerie abandonnée, il se trouvera toujours quelqu'un pour stupéfier l'assistance avec des galéjades de ce genre qu'il fait passer pour récits véridiques. Cela fait partie de l'expédition.

De nos jours on monte au Ventoux en voiture. Cela ne manque pas de charme,

Ferme sur le Ventouret

sans doute. Mais cela ne vaudra jamais l'exploration pédestre de cette montagne presque partout sauvage. Il faut avoir le courage de partir en pleine nuit pour affronter ce décor chaotique de rochers qui semblent s'ébouler immobiles comme sur les tableaux du peintre romantique allemand Caspar-David Friedrich. Courage bien récompensé par la découverte au sommet, du soleil se levant sur les Alpes roses et éclairant petit à petit l'immense moutonnement des montagnes du Dauphiné.

Deux grands itinéraires pédestres permettent de découvrir le vrai Ventoux :
- L'ancien *chemin des Pèlerins,* qui conduisait jadis les dévots à la chapelle sommitale de Sainte-Croix et qui part de Sainte-Colombe, ce hameau dont les habitants autrefois amélioraient leur ordinaire en vendant aux excursionnistes des manches à balais qui leur servaient d'alpenstocks. Et permet, après une halte à la *source de Dieu,* de redescendre brutalement mais magnifiquement sur le village de Brantes, village perché aux pierres branlantes.
- D'ouest en est, on peut emprunter le G.R.4, à partir de Malaucène qui, rejoignant lui aussi le chemin de crête, ramène vers Monieux et les gorges fantastiques de la Nesque. On sera bien avisé d'emporter non seulement des provisions de bouche mais aussi des guides spécialisés qui font l'inventaire des plantes, des insectes, des pierres de cette fabuleuse réserve naturelle encore vierge.
Le célèbre Fabre fut l'un des premiers à

nous faire découvrir cet extraordinaire voyage qu'est l'ascension du Ventoux, comme le tracé de notre doigt sur une mappemonde, nous promenant, de la base au sommet, de la chaleur torride du Midi au froid polaire de l'Arctique : "Une demi-journée de déplacement suivant la verticale fait passer sous les regards la succession des principaux types végétaux qu'on rencontrerait en un long voyage du sud au nord, suivant le même méridien. Au départ, vos pieds foulent les touffes balsamiques du thym ; dans quelques heures, ils fouleront les sombres coussinets de la saxifrage à feuilles opposées, la première plante qui s'offre au botaniste débarquant en juillet sur les rivages du Spiztberg. En bas, dans les haies, vous avez récolté les fleurs écarlates du grenadier, ami du ciel africain ; là-haut, vous récolterez un petit pavot velu qui abrite ses tiges sous une couverture de menus débris pierreux et déploie sa large corolle

Paysage agricole près de Flassan

Au sommet, arbre fouetté par le mistral

Borne géodésique

jaune dans les solitudes glacées du Groënland et du Cap-Nord comme sur les pentes terminales du Ventoux."

Dans la Provence d'aujourd'hui, où les beaux paysages deviennent aussi rares que des tableaux de maîtres, le Ventoux demeure un lieu exemplaire où se conjuguent la paix et la beauté. Il faudrait y passer toute l'année pour y distinguer au rythme des saisons ces subtils passages d'une peinture violente et tourmentée aux plus exquises aquarelles, aux lavis chinois, aux miniatures persanes, et découvrir comme sur ces dernières des masques d'hommes ou des mufles de dragons dans le dessin subtil des rochers fantastiques.
Grâce soit rendue à Steffen Lipp dont les photographies traduisent si bien l'atmosphère de cette montagne magique…

Jean-Paul CLÉBERT

Mistral sur le sommet

es Baronnies et le Diois vus du Ventoux

13

Le Ventoux vu des plateaux du Contadour

Face ouest

Le Ventoux vu du plateau de Vaucluse

Face nord avec la village de Reilhanette

Sur les croupes de la montagne, nous rencontrâmes un pâtre d'âge très reculé qui, avec bien des discours, s'efforça de nous détourner de notre ascension. Cinquante années auparavant disait-il, la même ardeur juvénile l'avait porté à gravir le pic culminant, et il n'en avait rapporté que regret et fatigue, le corps et les habits déchirés aux roches et aux buissons d'épines. Jamais, ni avant ni après, on n'avait entendu dire dans le pays que quelqu'un eût risqué pareille escalade.

PÉTRARQUE

Oliveraie au pied du Ventoux

Paysage de lapiès

Forêt de hêtres en automne sur le versant nord

A l'approche du sommet

"Côtes du Ventoux"

Vignobles et ferme près de Flassan

Le Mont Ventoux avec les gorges de la Nesque

Peinture naïve sur un vieux camion

Lavande et tournesols en fleurs sur le Ventouret

Genêts devant un champ de lavande

Champs de lavande après la récolte

Ruches

Distillation de lavande

Carrière d'ocre à Mormoiron

Flassan : façades aux teintes d'ocre

Depuis mon enfance ces lieux, vous le savez, sont, de par la volonté du destin qui gouverne les hommes, mon séjour ordinaire, et d'autre part cette montagne que l'on voit de loin et de tous côtés, se trouve presque toujours devant les yeux.

Pétrarque

Le village d'ocre de Roussillon

Carrière romaine près de Beaumont-du-Ventoux

Vaison-la-Romaine, statue antique

Bedoin

Le versant sud

Le Ventoux vu de Ferrassières

Aurel

Une hauteur s'élève au-dessus de toutes les autres : les montagnards l'appellent *Filiole* ; pourquoi, je ne sais, à moins que ce ne soit par antiphrase, comme il arrive en certains autres cas, j'imagine. Ce piton paraît être vraiment le père de toutes les montagnes du voisinage. Au sommet se trouve une petite plate-forme. C'est là enfin que nous vînmes reposer notre fatigue.

PÉTRARQUE

Le Ventoux vu du col de Propiac

Les Valettes, chapelle romane de St-Sépulcre

Chapelle romane de Sainte-Marguerite

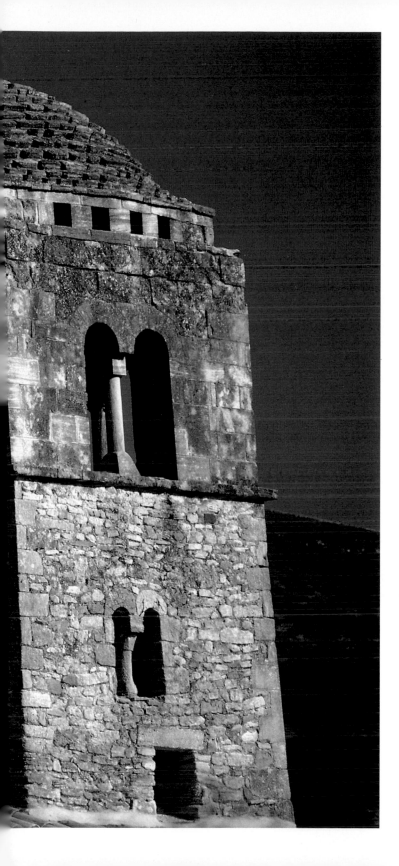

Les hommes s'en vont admirer les cimes des montagnes et les flots immenses de la mer et les vastes cours des fleuves et les circuits de l'Océan et les révolutions des astres et ils se délaissent eux-mêmes.

SAINT AUGUSTIN

Chapelle romane de la Madeleine près de Bedoin

43

Ferme au-dessus des gorges de la Nesque

Sur le Ventouret

Ferme typique de Haute-Provence

45

Le village de Venasque devant le versant sud

Troupeau de moutons sur le Mont Serein

Zone de forêt mélangée

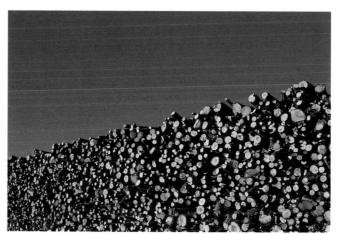

Exploitation du bois

C'était tout simplement le ciel qui descendait jusqu'à toucher la terre, racler les plaines, frapper les montagnes et faire sonner les corridors des forêts.

JEAN GIONO

Que ma joie demeure, Editions Gallimard

Les Alpes vues du sommet du Ventoux

Le plateau de Vaucluse, le Luberon, les Alpilles
et la montagne Sainte-Victoire près d'Aix-en-Provence vus de la face sud

Le désert calcaire du Ventoux

Doronic à grandes fleurs (Doronicum Grandiflorum)

Saxifrage à feuilles opposées
(Saxifraga oppostifolia L.)

Petit pavot jaune des cailloux (Papaver rhaeticum Leresche)

Paysages calcaires sur le versant nord

Arbres morts dans la lumière du matin

Brouillard à l'assaut du versant nord

57

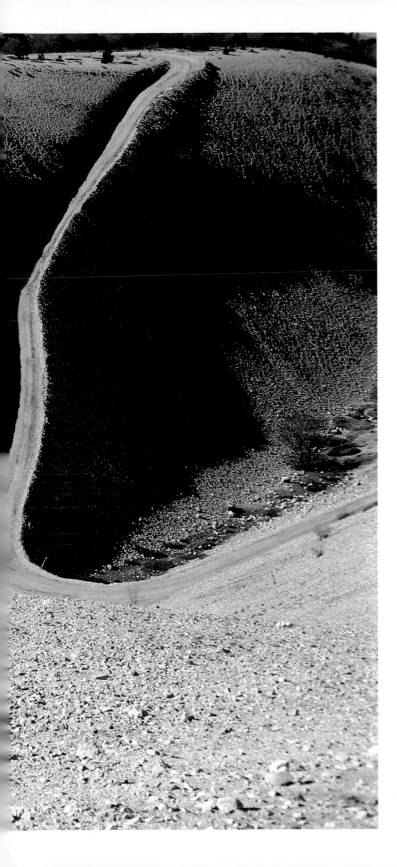

Frais gazons, gais ruisselets, roches mousseuses, grandes ombres des arbres séculaires, toutes ces choses enfin qui donnent tant de charme aux autres montagnes, ici sont inconnues et font place à une interminable couche de calcaire fragmenté par écailles, qui fuient sous les pieds avec un cliquetis sec, presque métallique. Les cascades du Ventoux sont des ruissellements de pierrailles.

FABRE

Chemin forestier, versant sud

59

Station scientifique au sommet

Brouillard montant au Col des Tempêtes

Le Ventoux, paysage lunaire

Panoramas

62

Tout d'abord vivement impressionné par l'étrangeté de l'air qui souffle et par l'étendue du panorama, je demeure immobile, comme frappé de stupeur. Je promène mes regards : des nuages flottent à mes pieds. Et déjà je suis moins incrédule au sujet de l'Athos et de l'Olympe au moment où ce que j'en avais entendu dire ou lu, je le constate sur une montagne de moindre renom.

Pétrarque

Les Alpes vues du versant nord

Vue sur la vallée du Toulourenc

Excursion cycliste

Départ de deltaplane

Partie de luge dans la lumière du soir sur le Mont Serein

Au sommet, couvert de neige au moins la moitié de l'année, le sol se couvre d'une flore boréale, empruntée en partie aux plages des terres arctiques.

FABRE

L'ancienne station météorologique couverte de glace   Le Ventoux après une tempête de neige

Bloc de neige formé par le mistral au pied de la tour du Mont Ventoux

Blocs de neige taillés par le mistral

A la mémoire de Tom Simpson

72

Paysage d'hiver sur le versant sud

Poteaux d'orientation givrés

Paysage arctique sur le Ventoux

Lever de soleil sur les monts de Vaucluse

La montagne de Bluye au fond
des gorges de Loubatière

Banc couvert de glace sur le sommet

De la plus haute montagne de ce
pays, qu'on appelle, non sans raison,
le *Ventoux*, j'ai fait aujourd'hui
l'ascension, poussé par le seul désir
de voir la remarquable altitude de
l'endroit.

PÉTRARQUE

Soleil couchant sur le promontoire du flanc ouest

Touffe de cespiteuses de saxifrage à la fonte des neiges

Devant le restaurant au sommet

Cerisiers en fleurs
au pied de la montagne

Coucher du soleil sur les
dentelles de Montmirail

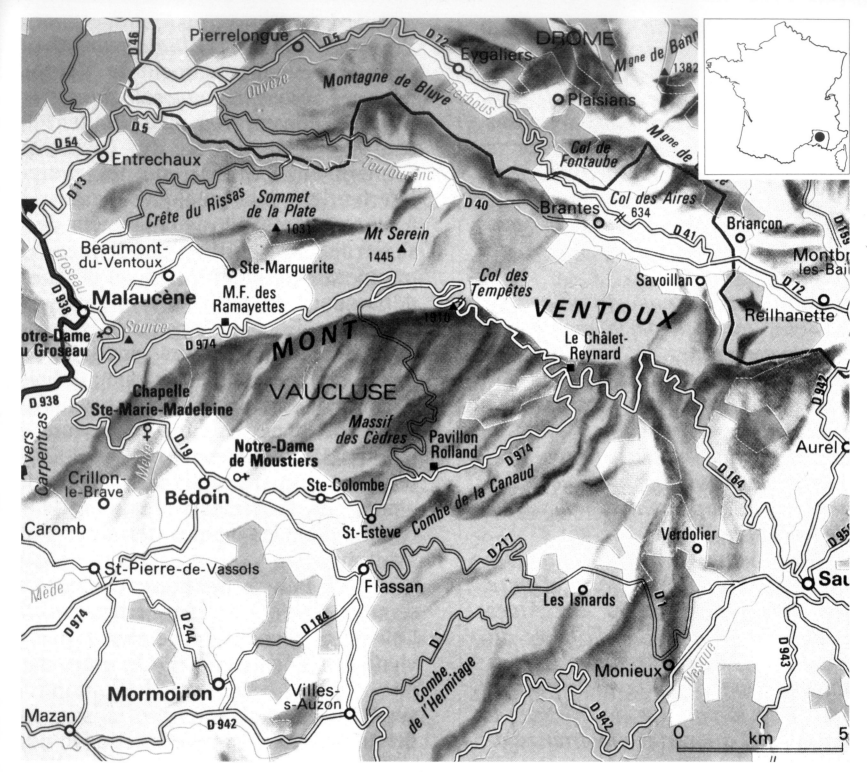

Carte du Ventoux et de ses alentours

Le versant sud et la combe de Curnier

Cabanon près de Flassan

Château du Barroux

La région du sommet

Les côteaux du Ventoux

Ferme et champ de lavande

Borie

Il semble que ce soit le ciel qui ait le dernier mot. Mais il le prononce à voix si basse que nul ne l'entend jamais.

RENÉ CHAR

La parole en Archipel, Editions Gallimard

Sculpture naturelle (lapiès)

"Paysage", huile de Steffen Lipp

La vie de la montagne

La toponymie n'est pas fixée et hésite entre le mot celtique "ven top" (montagne blanche) et le provençal "ventour" (exposé au vent).

Avec 1912 mètres d'altitude, le Mont Ventoux est la plus haute montagne isolée de France.

La montagne s'est formée à l'âge du crétacé et a surgi de la mer Vocontienne il y a 70 millions d'années.

Elle est constituée de calcaire. Des cours d'eau souterrains alimentent de nombreuses sources dont la Fontaine de Vaucluse à 35 kilomètres.

Les Romains furent les premiers à déboiser les forêts qui couvraient le mont jusqu'au sommet.

Le poète Pétrarque, qui a escaladé le sommet du Ventoux en 1336 en partant de Malaucène, est aussi reconnu comme le père de l'alpinisme.

Reboisement sans précédent des pentes de la montagne dans le seconde partie du XIXe siècle.

La situation et les différences d'altitude du Ventoux entraînent une situation climatique très particulière qui va du climat méditerranéen au climat alpin et qui explique la richesse de la flore et de la faune.

La montagne représente une surface de 26.000 hectares.

Sur le Mont Ventoux peuvent être recensées 950 plantes et plus de 100 espèces d'oiseaux.

Au XIXe siècle, le célèbre entomologiste et botaniste Jean-Henri Fabre a mené plusieurs expéditions scientifiques sur le Mont Ventoux.
En 1882, pose de la première pierre de la station météorologique au sommet.
La même année, construction de la route sur le versant sud.

Première course d'automobile en 1902.

Premiers sports d'hiver en 1920.

En 1951, le Mont Ventoux est compté pour la première fois parmi les étapes du Tour de France.

Le coureur cycliste et champion anglais Tom Simpson meurt en 1967 sur l'étape du Ventoux peu avant d'atteindre le sommet.

Le 15 février 1967 est signalée sur le Mont Ventoux le plus forte vitesse d'un vent jamais enregistrée par un poste météorologique français : 320 kilomètres à l'heure. Le record de froid : 27 degrés au-dessous de 0.

Le Ventoux est en proie à un vent violent 244 jours par an en moyenne et 196 jours dans les nuages.

De mi-novembre à mi-avril, le sommet et ses alentours restent fermés aux automobilistes.

Station de ski au Mont Serein (versant nord) 1445 m, station de ski (versant sud) 1417 m.

Achevé d'imprimer le 22 avril 1989
sur les presses de l'imprimerie Pesch
D-7441 Grafenberg

Imprimé en RAF